CENICIENTA

CINDERELLA

susaeta

D.L.: M-34233-2008
© SUSAETA EDICIONES, S.A.
Campezo, 13 – 28022 Madrid
Tel.: 91 3009100 – Fax: 91 3009118
www.susaeta.com

Ilustraciones: Carmen Guerra
Maquetación: Proforma Visual Communication, S.L. / Equipo Susaeta
Corrección: Eleanor Pitt / Equipo Susaeta
Diseño de cubierta: Laura Ramos/ Equipo Susaeta

CENICIENTA

CINDERELLA

ÉRASE UNA VEZ UNA MUJER MUY ORGULLOSA QUE ODIABA A SU HIJASTRA.

ONCE UPON A TIME, THERE WAS A VERY PROUD WOMAN WHO HATED HER STEPDAUGHTER.

LA LLAMABAN CENICIENTA
PORQUE SE PASABA EL DÍA
LIMPIANDO Y SE ENSUCIABA
CON CENIZA.

THEY CALLED HER
CINDERELLA BECAUSE
SHE WAS ALWAYS
CLEANING AND GETTING
DIRTY WITH CINDERS.

EN VERANO, EL PRÍNCIPE ORGANIZÓ UN BAILE E INVITÓ A TODAS LAS MUCHACHAS DEL REINO.

8

IN SUMMER THE PRINCE ORGANIZED A BALL AND INVITED ALL THE GIRLS IN THE KINGDOM.

EL DÍA DEL BAILE, CENICIENTA
TUVO QUE HACER TODO LO
QUE SUS HERMANASTRAS
LE MANDARON.

ON THE DAY OF THE BALL, CINDERELLA HAD TO DO EVERYTHING HER STEPSISTERS ORDERED HER TO.

11

CUANDO CENICIENTA
SE QUEDÓ SOLA,
APARECIÓ SU HADA
MADRINA Y LE DIJO:
–ERES BUENA Y DULCE,
IRÁS AL BAILE.

WHEN CINDERELLA WAS
LEFT ALONE, HER FAIRY
GODMOTHER APPEARED:
"YOU ARE GOOD AND
SWEET, YOU WILL GO TO
THE BALL".

CON SU VARITA MÁGICA,
EL HADA TRANSFORMÓ UNA
CALABAZA EN CARROZA Y
UNOS RATONES EN
CABALLOS.

WITH HER MAGIC WAND THE FAIRY TURNED A PUMPKIN INTO A COACH AND MICE INTO HORSES.

TAMBIÉN CONVIRTIÓ LA RATA CON LOS BIGOTES MÁS LARGOS EN UN COCHERO, Y LOS HARAPOS DE LA JOVEN, EN UN VESTIDO.

SHE ALSO TURNED THE RAT WITH THE LONGEST WHISKERS INTO A COACHMAN, AND THE GIRL'S RAGS INTO A DRESS.

17

EL HADA LE DIJO:
—DISFRUTA DEL BAILE, ¡PERO
RECUERDA QUE A LAS DOCE
TODO VOLVERÁ A SER LO
QUE ERA!

THE FAIRY SAID TO HER: "ENJOY THE BALL, BUT REMEMBER THAT AT MIDNIGHT EVERYTHING WILL GO BACK TO HOW IT WAS BEFORE!".

LLEGÓ AL PALACIO Y EL PRÍNCIPE, NADA MÁS VERLA, LA INVITÓ A BAILAR.

SHE ARRIVED AT THE PALACE, AND AS SOON AS THE PRINCE SAW HER, HE ASKED HER TO DANCE.

20

AL SONAR LA PRIMERA
CAMPANADA DE MEDIANOCHE,
CENICIENTA SALIÓ CORRIENDO
Y PERDIÓ UNO DE SUS
ZAPATOS DE CRISTAL.

AT THE FIRST CHIME OF
MIDNIGHT, CINDERELLA RAN
AWAY AND LOST ONE OF HER
GLASS SLIPPERS.

23

SUS HERMANASTRAS LE CONTARON QUE EL PRÍNCIPE SE HABÍA ENAMORADO DE LA MUCHACHA DEL ZAPATO DE CRISTAL.

HER STEPSISTERS TOLD HER
THAT THE PRINCE HAD
FALLEN IN LOVE WITH THE
GIRL WITH THE GLASS
SLIPPERS.

EL PAJE REAL HIZO PROBAR EL ZAPATO A TODAS LAS JOVENCITAS DEL REINO, INCLUSO A LAS HERMANASTRAS, PERO FUE INÚTIL.

THE ROYAL PAGE TRIED THE SHOE ON ALL THE GIRLS IN THE KINGDOM, EVEN THE STEPSISTERS, BUT IT WAS IN VAIN.

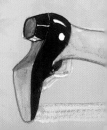

27

AL FIN, EL PAJE REAL PROBÓ
EL ZAPATO EN EL PIE DE
CENICIENTA Y VIO QUE LE
QUEDABA PERFECTO.

FINALLY, THE ROYAL PAGE TRIED THE SHOE ON CINDERELLA'S FOOT, AND SAW THAT IT FITTED PERFECTLY.

29

UN MES DESPUÉS,
EL PRÍNCIPE Y
CENICIENTA,
ENAMORADOS,
SE CASARON Y VIVIERON
FELICES PARA SIEMPRE.

ONE MONTH LATER, THE
PRINCE AND CINDERELLA,
BOTH IN LOVE WITH EACH
OTHER, GOT MARRIED AND
LIVED HAPPILY EVER AFTER.